KB122661

# 나의 작은 팔레트 2

## Ma petite palette

이정현

무지개색 :

빨주노초파남보 그리고 그 사이를 채운 모든 빛깔

# 들어가는 말

무지개엔 경계가 없습니다. 오히려 다양한 빛깔이 서로 물들어 자연스럽게 이어져 있지요. 원래 세상은 그런 모습이지만 우린 자주 잊고 지냅니다.

언어는 모든 색에 이름을 붙이는 대신 일곱 색을 특정했습니다. 덕분에 누구나 무지개를 말하면 빨주노초파남보를 떠올립니다. 그리고 그 과정에서 정의되지 못한 빛깔들을 잃어버립니다. 어느새 무지개엔 뚜렷한 경계가 생겼습니다.

언어는 다양성을 쉽게 뭉뚱그립니다. 좋아요 하나로 수많은 감정을 표현하는 것처럼요. 혈액형은 네 가지

MBTI는 열여섯 가지로 모든 성격을 구분합니다. 하지만 그보다 더 많은 기준을 가져와도 나를 정확히 표현하기는 어렵습니다.

그럼에도 언어는 나를 표현할 수 있는 유일한 수단입니다. 나는 언어를 통해 정의되는 한편 무지개와 마찬가지로 언어가 되지 못한 다양한 모습을 잃어버립니다. 어떤 단어를 쓰더라도 일반적인 의미로 나를 설명하게 될 테니까요. 단어마다 따라오는 사회적 인식은 나의 본모습을 대체합니다.

나는 매 순간 언어의 기대에 어긋납니다. 성실하다는 말속에는 약간의 게으름이 담겨있고 좋고 싫음에도 시시각각 그 정도가 변합니다. 의미가 분명한 언어와 달리 나는 언어를 사용할수록 애매한 존재가 됩니다.

두 번째 팔레트에서는 이런 언어의 세계에서 우리가 느끼는 괴리를 이야기합니다. 경계에 걸쳐 어느 쪽에도 속하지 못한 어중간함에 대해서요. 명확한 언어에 비해 모호함으로 가득 찬 일상과 그때마다 적당한 단어를 고를 수 없어 머뭇거렸던 마음에 대한 기록입니다.

일상에는 다양한 경계가 있습니다. 타인의 기준에 맞춰 나를 재단하는 이들에게, 우리의 삶은 고작 몇 개의 단어에 좌우될 만큼 단순하지 않다는 말을 전합니다. 언어로 정의되지 않았다고 해서 나만의 빛깔이 사라지는 건 아니라고요.

애초에 그곳엔 경계가 없었다
하지만 인간이 터를 잡은 뒤로
풀꽃도 나무도 각종 짐승들도
의미 없는 국적을 갖게 되었다

# 일상의 경계 목록

# 현실 / 가상

# 현실 / 가상

쉽게 친구를 만들고

사는 모습을 공유하고

더 많은 이들과 소통해도

어쩐지 더욱 외로운 사람들

팬데믹은 인류를 0과 1의 세계로 내몰았다. 인간은 섬처럼 고립됐지만 어느 때보다 쉽게 이어졌다. 줄어든 생활반경에도 할 수 있는 일이 늘어났으며 인공지능 같은 훌륭한 조력자도 생겼다. 인터넷만 있으면 방 안에 틀어박혀도 외로움을 느낄 새 없었다. 연결되는 동안은 그랬다.

모니터가 꺼지면 지독한 고독이 밀려왔다. 무궁무진했던 세상이 모두 허상이었단 사실이 드러나자 부풀었던 시간은 현실을 더 작게 만들었다. 오늘 하루는 무엇이 남았나. 나는 종종 가야 할 곳을 잊어버렸다. 그보다 자주 나의 존재를 잃어버렸다.

온라인에서 나를 증명하는 건 아이디와 패스워드가 전부였다. 남이 하는 거라면 약관도 읽지 않고 가입부터 누른 탓에 그곳엔 수많은 내가 생성됐다. 인격은 복제되고 나뉘었으며 여기저기 흩어졌다. 거기에 이름까지 감추고 나니 나라고 부를 수 있는 건 얼마 남지 않았다.

한없이 가벼워진 세계에서 나는 새로운 인간관계를 맺었다. 한 번도 마주치진 않았지만 어딘가 존재할 거라 여겨지는 사람들. 나 역시 그들에게 마찬가지 존재였다. 우린 서로 화면 너머의 진실을 볼 수 없었다. 어느 날 갑자기 그레고르 잠자*가 되어도 키보드만 두드릴 수 있다면 아무도 눈치채지 못했다.

디지털 시대의 인간은 눈과 손가락 그리고 그 둘을 통제하는 두뇌만으로 모든 활동을 했다. 머지않은 미래에는 SF 영화의 한 장면처럼 기계에 연결되어 꿈을 꾸듯 하루를 보낼지도 모를 일이다. 그런 세상이 온다면 무엇

---

* 카프카의 소설 『변신』의 주인공. 어느 날 갑자기 벌레로 변한다.

을 현실이라고 말해야 할까. 머릿속에 펼쳐진 정신의 세계인가 아니면 하루 종일 감겨있는 육체의 세계인가.

# 어른 / 어린이

# 어른 / 어린이

그저 동화 속 이야기라며
비현실적이라고 말하지만
이야기를 비현실로 만든 건
어른이 된 우리의 모습이다

의식주를 혼자 해결할 수 있으면 어른이 된다고 생각했다. 비록 출퇴근이 어려워 자취를 결정했지만 독립은 전부터 기대했던 일이었다. 혼자 쓰는 욕실은 물론 취향대로 방을 꾸미고 주말이면 방해 없이 늘어지는 자유로운 일상. 창문에 번지는 나른한 햇살과 은은한 원두 향을 상상하며 마음은 이미 어른이 되어있었다.

처음 부동산에 방문한 날도 들뜬 기분을 감추지 못했다. 이제 막 사회에 발을 디딘 나와 비교해 그곳은 완연한 어른의 세계였다. 평*이라는 단위가 더 익숙하고 초여름에도 커피믹스에 뜨거운 물을 채우는 곳.

"젊은 사람들은 이런 거 안 마시죠?"

---

* 땅 넓이의 단위. 한 평은 3.3㎡에 해당한다.

중개업자는 너스레를 떨며 종이컵을 건넸다. 도무지 속을 들여다볼 수 없는 진한 액체는 카페에서 마시는 아메리카노에 비해 관록이 느껴졌다. 그는 달짝지근한 말로 의구심을 쉽게 누그러트렸고 나는 헤실거리며 고개를 끄덕였다. 텁텁한 끝맛을 느낀 건 방을 보기 위해 부동산을 나온 뒤였다.

사회초년생에게 허락된 공간은 기껏해야 다섯 평짜리 원룸이 전부였다. 좁은 복도를 따라 열 집 정도가 한 층에 모여있었고 엘리베이터 버튼은 보통 5까지 있었다. 겉으로 볼 땐 작은 빌라였는데 우체통의 개수는 여느 아파트 못지않았다. 그런 건물들이 골목을 마주 보고 다닥다닥 붙어있어 빛이 귀한 동네였다. 개미굴이라는 표현이 적절했다.

"요즘 집값 알죠? 이런 동네도 있어야 젊은 사람들이

와서 돈 벌고 나가지."

실망한 표정을 읽었는지 그는 건물을 옮겨 다닐 때마다 나를 다독였다. 연차를 더 쓰기도 그렇고 며칠 더 본다고 해서 좋아질 거 같지도 않았다. 고민 끝에 다섯 번째로 방문했던 방을 골랐는데 유일하게 전등 스위치를 찾지 않고도 내부를 둘러볼 수 있는 집이었다. 코를 찌르는 향수 냄새, 못으로 엉망이 된 벽지가 기괴했지만 도배와 청소를 해주겠다는 약속을 받고 계약했다. 이삿짐 업체도 소개받았다.

세탁기와 조그만 냉장고, 옷장 한 칸이 빌트인 되어있었기 때문에 이삿날 들어온 가구는 싱글침대와 작은 책상이 전부였다. 일이 너무 빨리 끝나 머쓱한 기사님은 닭이라도 한 마리 시켜 먹으라며 내게 받은 이십 만원에서 만 원짜리 두 장을 돌려주었다. 한껏 인심을 쓰고 돌아가는 어른의 등은 넓어 보였다.

침대 하나에 방이 가득 차버렸다. 화장실만 분리되었을 뿐 잠자고 식사하고 설거지와 빨래를 하는 공간이 같았다. 뒤섞인 일상이 옷가지로 스며들어 디퓨저와 향수를 구매했다. 조금만 버텨 더 넓은 집으로 옮기겠다는 목표가 생겼다. 조금이라고 했지만 얼마나 걸릴지 알 수 없었다.

* * *

시간이 흘러 나는 신입사원에서 대리가 됐다. 사내 식당에서 밥값을 아끼고 걸음으로 버스비를 대신하며 연 3%짜리 적금을 들었다. 회사와 집을 오가던 내게 유일한 재미라곤 통장에 돈이 늘어나는 것뿐이었다.

그사이 집값은 두 배, 비트코인은 오십 배가 됐다. 아등바등해도 돈이 새는 사람이 있는 반면 가만히 있어도 돈을 버는 사람이 있다는 게 놀라웠다. 탕비실의 커피믹스가 익숙해졌지만 어른의 세계에 대해선 여전히 모르는 게 더 많았다.

같은 무렵 사무실엔 경제 전문가가 늘어났다. 기준 금리, 변동성, 소비자 물가 지수 등등 어려운 말들이 오갔

는데 결론은 주식이나 부동산으로 돈을 벌었다는 이야기가 전부였다. 그들은 하나같이 대출받아서 집을 사야 한다는 조언을 건넸다. 불행히도 집값은 이미 빚을 져도 따라가기 어려운 수준이 됐다.

근면이 미덕인 사회지만 근로자의 대부분은 불로소득을 꿈꿨다. 건물주처럼 말이다. 내가 지내는 건물만 해도 매달 거둬들이는 임대료가 회사원의 일 년 치 급여와 맞먹었다. 야근하고 돌아와 월세와 관리비를 송금하는 날이면 한 번쯤 건물주의 삶을 상상해 보곤 했다. 어쩌면 땀방울의 가치는 자본주의 시스템의 진부한 가스라이팅이 아닐까.

그런 건물주에게 어느 날 문자메시지가 하나 도착했다. 구청에서 점검이 나오니 사흘 정도 싱크대를 떼어가겠다는 내용이었다. 이해가 안 가 직접 전화를 걸었다.

"혹시 지역이 OO 동인가요? 어느 건물이죠?"

소유한 건물이 한 채가 아닌 것도 놀라웠지만 당황스러운 건 그 뒤의 내용이었다. 지금껏 살고 있던 건물은 고시원이었고 법적으로 고시원에서는 개별 취사가 불가능하므로 단속기간에만 싱크대와 인덕션을 떼 가겠다는 것. 부동산 계약서의 '2종 근린시설'이란 단어는 이러한 상황을 함축하고 있었다. 물론 누구도 얘기해주지 않은 사실이다.

단속을 예고하고 시행하는 것도 우스웠지만 단순히 싱크대를 떼는 걸로 상황을 무마하는 현실이 씁쓸했다. 불법을 감당하는 건 세입자들의 몫이고 건물주에게 사과나 보상을 받은 사람은 없었다. 계약서를 꼼꼼하게 읽지 않은 탓이었다. 보험 약관만큼이나 불친절한 계약서 말이다.

“그렇게 따지면 우리나라 원룸이 다 그래요. 그러니깐 이렇게 눈감아주고 하는 거지. 이런 걸 다 불법이라고 하면 누가 가장 피해 보는 줄 알아요?”

다음날 집에 돌아왔을 땐 정말로 싱크대가 사라지고 그 자리를 밋밋한 상판이 메우고 있었다. 화나는 감정보다 부끄러움이 먼저 찾아왔다. 낯선 발자국 하나에 침실 겸 부엌 겸 세탁실과 서재를 모두 들켜버렸으니 그럴 만도 했다. 조그만 단칸방은 더 이상 나만의 공간이 아닌 거 같았다.

나의 독립은 오 년을 못 채우고 마무리됐다. 본가로 다시 들어갈 땐 인터넷으로 이삿짐 업체를 불렀다. 싱글 침대와 책상 하나에 육만 원이면 충분했다. 그 돈의 세 배를 받고도 생색을 내는 어른의 뒷모습이 한때는 얼마나 넓어 보였던가.

"요즘 젊은 친구들 보면 돈 모을 생각은 안 하고 말야. 카페에서 아메리카노 같은 게 목으로 넘어가나 몰라."

탕비실에서 오가는 어른들의 이야기를 들으며 나는 평생 커피믹스의 맛을 이해할 수 없겠다고 생각했다.

# 직업 / 취미

# 직업 / 취미

사람들은 종종

무엇이 되었는가에 집착해

무엇을 하고 있는지를 잊어버린다

히스로 공항을 몇 시간 앞두고 입국신고서를 받았다. 별생각 없이 빈칸을 채워가다 펜을 멈췄다. OCCUPATION 직업. 직장인이라는 꼬리표를 떼고 처음 맞는 질문이었다. 작가가 되겠다고 했지만 그 순간엔 '제대로 된' 답변이 필요해 보였다.

직업의 사전적 정의엔 가장 먼저 생계가 언급된다. 생계를 유지하기 위하여 자신의 적성과 능력에 따라 일정한 기간 동안 계속하여 종사하는 일.* 원고료 한 번 못 받아보고 작가라니 면허 없이 운전대를 잡는 것처럼 느껴졌다. 장래 희망을 적어내는 게 아니었으므로.

작가를 제외하고 주어진 단어는 UNEMPLOYED가 있었다. 제 발로 회사를 나온 마당에 고용되지 않았다는

---

* 표준국어대사전 정의

표현이 억울했다. 한 음절 차이로 쓸모를 인정받지 못한 사람이 되어버린 듯했다. 채용 기준에 못 미치는 사람. 일할 능력이 부족한 사람. 직업이 없는 이를 향한 세상의 시선은 그다지 유쾌하지 않았다.

반면 경력 한 줄로 남은 회사의 이름에는 생각보다 다양한 정보가 담겨있었다. 교육 수준과 검증된 능력, 경제적 안정성, 어쩌면 노후까지. 사람들은 명함 한 장에 많은 걸 상상했다. 회사는 연봉과 복지뿐 아니라 사회적 시선으로부터도 안전한 울타리를 제공한 셈이다. 그곳에서 벗어난 순간 나를 증명하기 위해 구구절절 설명이 필요했다.

하루가 감당하기 어려울 만큼 크게 다가왔다. 비행기 안에서 내려다본 세상은 더 넓고 촘촘했으며 도로 위의 차들은 분주했다. 그 위에 흩뿌려진 낱알의 존재. 한없이 작아진 내 모습에 여행으로 가득 찼던 설렘이 썰물처럼 빠져나갔다. 낮아진 수면 위로 불안이 드러났다.

호기롭게 작가가 되겠다고 했을 때 주위의 반응은 한결같았다. 글로 돈 버는 게 어디 쉬운 줄 아니. 회사 다니면서도 할 수 있잖아. 내가 아는 사람 중에 글깨나 썼던 아무개가 있는데 등등. 그중에서도 취미로 글 쓰는 사람들의 이야기는 나의 진지함을 가볍게 만들었다. 그때마다 웃음 뒤로 불편함을 감추고 자리를 피했다.

애써 외면했던 말들은 마음에 금이 갈 때마다 조롱하듯 피어올랐다. 신고서 하나 못 채우고 머뭇거리는 순간에도 취미라는 단어가 귀에 맴돌았다. 취미로도 충분히 할 수 있는 일을 꼭 회사를 그만두면서 해야겠냐고. 본업을 가진 채 등단하는 작가도 있는데 알량한 실력으로 글을 쓰겠다니 말이다.

* * *

"일이 아니라서 그래요."

소설을 쓰고 싶어 이곳저곳 기웃거리던 어느 날, 시간 가는 줄 몰랐다는 내게 찬물 끼얹는 답이 돌아왔다. 시종일관 진지한 마음으로 수업을 듣던 나와 달리 그의 눈은 세상 물정 모르는 아이를 보고 있었다. 하루는 사람들 앞에서 나의 글을 평가하다 이렇게 말했다.

"성실한 모습은 좋은데 소설보단 비평 쪽을 생각해 보는 게 어때요."

그렇게 눈치를 줘도 난 작가에 대한 욕심을 버리지 못했다. 글쓰기는 내게 흩어지는 일상을 붙잡을 유일한 수

단이었기 때문이다. 고민 끝에 엮은 문장이 쓸모를 다해 버려질 보고서가 아니라 오래 남을 수 있는 책이길 바랐다. 애초에 언어로 나를 표현하는 일에는 누구의 허락도 필요하지 않았다.

이상한 기분이다. 하루는 더 선명해졌는데 나를 적어낼 단어가 없다는 게. 불안한 마음은 경로를 이탈한 내비게이션처럼 자꾸만 기존 목적지에 길을 연결했다. 하지만 유학을 가거나 직장을 옮긴다 해도 미련이 남아 또다시 같은 선택을 할 거란 생각이 들었다. 빈칸을 채우는 대신 노트를 펼쳐 다음과 같이 적었다.

어떤 선택을 하든 삶은 단 한 번뿐이다.

어느새 비행기는 런던 상공에 진입했다. 템스강을 따라 런던아이와 타워브리지가 보였다. 도시의 명소는 하늘에서도 한눈에 알아볼 만큼 존재감이 분명했다. 하지만 그 밖의 대부분은 관심 두기 전에 시야에서 사라졌다. 나에게 주어진 시간은 모든 건물에 눈길을 줄 만큼 길지 않았다.

타인의 시선도 마찬가지다. 자신의 하루가 가장 바쁜 사람들. 그 앞에서 고작 겉모습을 포장할 한 단어를 고르느라 정작 중요한 내 목소리를 듣지 못한 건 아닐까. 하고 싶은 일을 하는 데 직업이라 말하면 어떻고 취미라고 말하면 또 어때서.

돈키호테가 떠올랐다. 늙은 기사는 엉뚱한 행동으로 조롱거리가 됐지만 누구보다 자신의 신념에 충실했다. 머뭇거리던 내겐 풍차를 향해 달리는 모습이 오히려 영웅적으로 비쳤다. 누가 뭐라고 하던 그에겐 비웃음을 이겨낼 용기가 있었으니.

나를 포장하고 있던 껍데기를 벗어던졌다. 전공도 경력도 자격증도 쓸모없게 되어 이력서는 다시 백지가 됐다. 어차피 처음부터 가야 할 길이라면 이번엔 마음이 향하는 대로 가볼 생각이다. 조금 돌아간대도 즐겁게.

신고서를 꺼내 또박또박 빈칸을 채웠다.

WRITER

# 억압 / 자유

# 억압 / 자유

인간은 시계를 만들어

흘러가는 시간을 가두려 했지만

시간은 오히려 그들의 발목에 족쇄를 채웠다

월요일이다. 시차 적응에 실패한 여행자는 새벽 네 시에 눈을 뜬다. 한국 시각으로 오후 한 시. 모니터 앞에 앉아 커피 한 잔 홀짝거릴 시간에 이불 속에서 빗소리를 듣는다. 또렷하다. 새벽은 원래 이런 모습이 아니었을까. 조금이라도 더 자려고 찡그리던 날들이 머릿속을 스쳐 갔다. 월요일은 특히 힘들었다.

일요일과 월요일 사이에도 시차가 존재했다. 직장인들은 그 현상을 월요병이라고 불렀다. 쏜살같이 지나간 주말에 비해 하루가 다시 느려지는 탓이다. 그 경계를 지나는 밤엔 늘 아쉬움이 엉겨 늦은 시간까지 몸을 뒤척였다. 고막을 때리는 알람 소리. 실눈을 뜨면 창문에 스며드는 창백한 빛이 가슴을 짓눌렀다.

월요병이 국어사전에 등재된 단어란 걸 알게 됐다. 영어로는 Monday blues, 의학 용어로 나이트로글리콜 중

독이라 하는데 두근거림, 숨 가쁨, 두통, 권태감, 무력감 등의 증상이 나타난다. 나만 유별난 게 아니었다고 생각하니 묘하게 위로가 됐다.

한번은 일요일 출근이 월요병을 이겨내는 데 도움 된다는 이야기를 들었다. 아무도 없는 사무실에서 혼자 노래를 들으며 하루 일찍 업무를 시작했다. 덕분에 월요일은 덜 부담스러웠지만 주말이 절반으로 줄어든 셈이 됐다. 사는 이유가 고작 회사에 다니기 위함이라니. 삶의 주도권을 빼앗긴 기분이었다.

* * *

시간 주권. 나는 과연 하루 몇 시간이나 의지대로 살고 있을지 궁금했다. 알람으로 시작하는 새벽. 삼십 분 일찍 앉아 있으라는 팀장의 말에 여섯 시부터 눈을 떴다. 숨 막히는 출근길. 업무시간 대부분은 상사가 시키는 일을 했고 하루 평균 두 시간씩 초과근무를 했다. 일찍 끝나면 여덟 시. 집에 돌아오면 아홉 시. 퇴근 시간조차 허락을 구했는데 다른 사람들보다 일을 빨리 끝내고 가방을 싸면 이런 말을 들었다.

"요즘 일이 별로 없나 봐?"

일을 준 사람이 가장 잘 알거라 생각했지만 그저 넉살 좋은 미소를 지었다. 그 후로 한동안은 일이 없어도 늦게까지 자리를 지켰다.

일주일에 세 번은 회식이 있었다. 그런 날은 자정이 넘어 택시를 탔다. 권장 수면시간이 지켜질 리 없었고 잠은 대부분 주말에 몰아서 잤다. 워크숍이라도 있는 주는 그 피로를 다음 주까지 이어갔다. 대외적으론 주 52시간 근무로 기록됐지만 하루 한두 시간 정도를 제외하곤 회사와 얽히지 않은 시간이 없었다. 그 정도 지분으로 시간 주권을 이야기하기가 민망했다.

결국 회사를 그만두고 나서야 시간의 소유권을 주장할 수 있었다. 정말 소유할 수 있는지는 의문이다. 아무튼 월요일을 미워하는 마음은 자연스레 사라졌다. 시간을 판매할 다른 곳을 찾아야 하지만 당분간은 나를 위해 쓰기로 했다. 마음이 변하기 전에 재빨리 런던행 비행기 표를 끊었다.

* * *

다시 런던에서 월요일. 되찾은 시간을 다르게 쓰고 싶었던 나는 침대에서 몸을 일으켜 허리를 곧게 세웠다. 숨을 크게 모으고 참았다가 천천히 내뱉기를 여러 번. 헛웃음이 새어 나왔다. 숨 쉬는 데 집중하라니. 잠이 부족한 하루엔 생각도 못 한 일이었다. 허기만 지우면 될 걸 굳이 비싼 음식을 먹는 것과 비슷했다. 여유로움도 잠시 마음 한구석이 불편했다. 사치를 부리는 것과 그 생활을 유지할 수 있는 것은 별개의 얘기다.

회사에 다닐 땐 숨 쉬는 시간도 돈이 됐다. 잠자는 시간도, 공휴일도 어쨌든 매달 21일이 되면 계좌에 일정한 금액이 입금됐다. 그 굴레에서 벗어나니 무엇도 당연하지 않았다. 오히려 숨만 쉬어도 매달 빠져나가는 돈이 보였다. 시한부 선고를 받은 통장. 잔액이 줄어들수록 위기를 느꼈다. 그 와중에도 시간은 하릴없이 흘렀다. 그렇다고 돈처럼 모아둘 수도 없는 노릇이다.

시간이 많다는 의미를 생각했다. 하루 스물네 시간, 모두 같은 양을 가진 줄 알았는데 그게 아니었나 보다. 누군가는 타인의 시간을 구매해 하루에 더 많은 일을 해낼 수도 있었고 커다란 건물이나 비행기, 선박을 만들어 내면서도 본인은 휴양지에서 시간을 보내며 여유롭게 골프를 쳤다. 로봇청소기나 식기세척기를 구매하고선 시간을 벌었다고 좋아하는 이들과는 규모가 달랐다. 고작 몇 시간으로 자유를 되찾았다고 사치를 논하는 모습은 너무도 초라했다.

시간을 파는 사람은 쉽게 그 틀 안에 갇혔다. 규격이 정해진 반듯한 삶. 열심히 일하는 사람도 눈치껏 빈둥

대는 사람도 어떻게든 버티기만 하면 근로계약서에 기재된 만큼의 보상을 받았다. 세상에 공짜는 없다는 말을 깨달았을 땐 이미 익숙해진 보상을 포기하기 어려웠다. 족쇄를 채워놓은 것도 아닌데 누구도 벗어나지 못했다.

"나가 봐라. 여기가 얼마나 좋은 곳인지. 후회해도 그때 가면 늦어."

반쪽짜리 자유를 누리며 상사의 말을 곱씹었다. 나가 본 적도 없으면서. 그의 말을 부정하고 싶었지만 증명할 방도는 없었다. 가능하대도 그럼 뭐가 달라지나.

모처럼 쫓기지 않는 월요일. 여행은 시작부터 무거웠다.

# 정상 / 비정상

## 정상 / 비정상

이정표가 생긴 뒤로

모두 같은 길로 걸었다

갈 수 있는 곳은 많은데

당연한 듯 정해진 길로만 걸었다

하이드파크를 산책하던 도중 오리 떼를 만났다. 호수를 빠져나온 오리들은 도보를 횡단하며 앞을 가로막더니 뒤뚱뒤뚱 걸음을 옮겨 맞은편 수풀로 들어갔다. 샐린저의 소설 『호밀밭의 파수꾼』이 떠올랐다. 정확히는 소설 속에 등장하는 질문이었다. 연못이 얼면 오리들은 어디로 갈까.

『호밀밭의 파수꾼』을 읽게 된 건 샐린저 시기*를 훌쩍 넘어 사회생활이 익숙해질 무렵이었다. 무난하게 지나간 사춘기가 뒤늦게 도진 건지 세상에 대한 불만으로 한껏 꼬여있던 나는 어른들의 위선을 들춰낸 이 책에 쉽게 동화되었다. 다만 '수염이 가득 붙어있는 녹슨 면도날' 같은 문장이 읽는 내내 비위를 건드렸는데 그동안 얼마나 보고 싶은 대로 현실을 봐왔는지 생각하게 했다.

---

* 책 좀 읽는 사람이라면 누구나 〈호밀밭의 파수꾼〉을 읽는다는 열두 살에서 스무 살 (조애나 라코프, 『마이 샐린저 이어』)

훌륭한 어른이 되고 싶었다. 말은 이렇게 했지만 훌륭함을 정의하라면 잠시 시간이 필요했다. 사회적으로 인정받는, 인정이라면 과반수를 기준으로 해야 하나, 아무튼 연단 위에서 자기 자랑을 늘어놓아도 고개를 끄덕이며 들어줄 청중이 있다면 충분히 훌륭한 어른이었다. 강연은 늘 이런 얘기로 마무리됐다.

"여러분의 청춘을 응원합니다."

『호밀밭의 파수꾼』은 뭐가 되고 싶냐는 동생의 물음에 대한 주인공 홀든 콜필드의 대답이었다. 넓은 호밀밭에서 뛰어노는 꼬마들이 절벽 아래로 떨어지지 않도록 붙잡아주는 파수꾼. 아마 진학 상담 중에 이런 이야기를 한다면 비정상이라는 소리를 들을 것이다. 아니나 다를까 소설가는 그를 낙제생에 성적 미달로 퇴학까지 당한 인물로 만들어버렸다.

때문에 책이 처음 나왔을 땐 미국 중고등학교에서 금서로 지정되기도 했다. 청소년에게 안 좋은 영향을 미친다는 이유였다. 어른들은 통제되는 학생들을 좋아했다. 기업은 참을성 강하고 눈치가 있으며 적응을 잘하는 인재를 원했다. 취업률을 경쟁력으로 내세우는 대학이, 명문대 진학률을 자랑으로 내세우는 고등학교가 어떤 교육 목표를 가졌을지는 뻔했다.

나의 청소년기도 비슷했다. 학생의 본분은 공부라고, 학교는 성적순으로 아이들을 줄 세웠다. 올바른 가치관보다 숫자로 표기된 시험 결과가 더 중요한 교실. 그로 인해 우린 사회를 배우기 전부터 경쟁에 내몰렸다.

덕분에 우스운 광경도 생겼다. 많은 학생이 수업 시간에 잠을 잤다. 그리고 말똥말똥한 눈으로 학원에 갔다. 밤늦게까지 공부하고 다음 날 학교에선 모자란 잠을 보충했다. 눈은 뜨고 있는 시간엔 학원 숙제를 했다. 성적 떨어지면 책임질 거냐고 눈을 부릅뜨는 학생을 제재할 교사는 없었다. 아이를 나무란 다음엔 극성스러운 학부모가 기다리고 있었다.

그렇다고 공교육의 붕괴를 학생 탓으로 돌린다면 잘못된 생각이다. 그들은 제도에 충실히 따랐을 뿐이다. 그리고 그 교육이란 제도는 정작 당사자들에게 관심이 없었다. 선거권이 있는 부모들을 위한 정책. 아이들이 선택할 수 있는 건 수시와 정시 두 가지가 전부였다.

교사들이라고 그런 상황이 달갑진 않았다. 특히 고3이 되면 공교육은 딜레마에 빠졌다. 수능에 초점을 맞춘 아이들을 상대로 진도를 나가고 중간고사를 출제하는 건 여간 어려운 일이 아니었다. 어떤 지식은 시험에 나오지 않는다는 이유로 낭비가 됐다.

그사이 경쟁상대인 재수생은 문제 푸는 기계가 되어 있었다. 기출문제, 모의고사, 예상문제. 학문을 익히기엔 비효율적이지만 시험을 잘 보기 위해선 가장 효과적인 방법들. 어차피 수능 끝나면 다 잊어버리는 거 아니냐는 볼멘소리에 어른들은 한심하다는 듯 말했다.

"지금 만든 공부 습관이 평생 너희를 따라다닐 거야."

틀린 말은 아니었다. 대학생이 되어서도 시험 기간마다 족보를 찾았고, 대형 서점에는 자격증과 영어시험 심지어는 회사 입사 시험까지 기출문제와 예상문제가 불티나게 팔렸다. 족집게 강사의 강의실 앞엔 쉽게 공부하려는 수험생들로 긴 줄이 늘어졌다.

고단한 걸음에도 딛고 있는 길을 의심하지 않았다. 앞서간 이들의 시행착오로 만들어진 최적의 경로, 잘 포장

된 도로 위를 누가 먼저 달리느냐의 문제였기에 우는소리를 하다간 도태되기 십상이었다. 그곳에선 의문을 품는 것조차 시간 낭비로 여겼다. 정말이지 아무도 질문하는 법을 몰랐다.

목적지는 명확하지만 의지는 불분명한 거대한 수레에 매달려 뒤처지지 않으려 위태롭게 달렸다. 성공을 입버릇처럼 달고 다니는 이들은 정작 성공이 무엇인지 말하지 못했고 실패도 경험이라는 위로와 달리 사회는 실패자에게 관대하지 않았다. 맹목적인 경주가 이어지는 동안 누군가는 수레바퀴 아래 눌려 버둥댔다.

"도대체 내가 왜 그딴 멍청이들이나 할 법한 생각을 해야 하는 거지?"*

---

* 원문 "How the hell should I know a stupid think like that?"

겨울철 오리를 걱정하는 홀든에게 택시 기사가 말했다. 어른들의 반응은 대부분 그와 같았다. 삶의 중요한 문제, 예를 들면 돈벌이, 앞에서 얼어붙은 연못의 오리는 생각할 가치가 없는 문제였다. 물론 어른들이 무관심한 건 오리만이 아니었지만.

시험과 달리 세상은 오지선다로 풀 수 없는 문제로 가득했다. 객관식에 익숙한 아이들은 쉽게 길을 잃었다. 결과만 좋으면 과정이 무어든 괜찮은 현실에 누군가는 스스로 삶을 마감했다. 학교 폭력, 교권 침해, 사교육 과열. 과연 무엇이 정상이고 무엇이 비정상인가. 대답할 수 있는 이는 아무도 없었다.

# 계급 / 평등

# 계급 / 평등

인권은 동등함을 전제로 하나

돈은 그 균형을 쉽게 무너뜨렸다

버킹엄 궁전을 둘러싸고 많은 사람이 모였다. 근위병 교대식이 있다고 했다. 마침 멀리서 경쾌한 음악이 울리며 곰 털로 만든 검정 모자에 빨간 코트를 입은 근위대가 다가오고 있었다. 걸음을 멈추고 대열이 궁 안으로 들어가는 모습을 지켜봤다. 새삼 영국엔 왕이 있다는 걸 실감했다.

자유, 평등, 민주주의 같은 개념을 귀에 못이 박히도록 들어온 나로선 아직도 왕이 존재한다는 사실이 어색했다. 물론 지금은 명예직이 되었지만 왕실에서 태어났다는 이유로 그들은 호화로운 생활을 이어갔다. 같은 나라에서 간신히 끼니를 이어가는 이들과 대조적으로.

세상엔 여전히 계급이 존재한다. 과거와 달리 구매할 수 있는 계급도 생겼다. 비행기의 일등석이나 극장의 R석은 돈을 쓰면 더 나은 대우를 받는다는 것을 알려줬다. 어느 순간 사람들은 자신이 내는 돈에 기분까지 포함되어 있다고 생각했다. 그렇게 손님은 왕이 됐다.

왕이 있는 곳엔 어디나 그 반대 계급도 존재했다. 우리 사회는 그들을 감정노동자라 불렀다. 감정도 노동이 되면서 돈만 있으면 타인의 감정을 짓밟는 게 허용되었다. 돈을 냈다는 이유로 자신의 썩은 감정을 타인에게 전가하는 사람이 생겼다. 하수구를 통해 쏟아낸 말들은 한 사람의 마음에 고였다.

"참아야지 어떡하겠어."

고용주의 논리는 단순했다. 고객은 수익과 연결되고 노동자는 지출과 연결된다. 돈을 벌기 위해선 누구의 손을 들어줘야 할지 분명했다. 더러워서 못 하겠다면 다른 이로 채워 넣으면 그만이다. 일할 사람은 많으니까.

* * *

회사야말로 철저한 계급사회였다. 직급과 직책으로 명확히 구분되는 그곳에선 계급이 필요 이상의 권위를 갖고 있었다. 아부와 아첨이 난무하는 사무실. 부장은 직원들의 고과를 매긴다는 이유로 권력을 가졌다.

직원들 사이에는 몇 가지 불문율이 만들어졌다. 혼자 점심 드시게 하지 않을 것, 식당에서 드시는지 밖에서 드시는지 먼저 물어볼 것, 회식 이야기가 나오면 반드시 참석할 것, 메뉴 세 가지 이상 골라서 보고드릴 것, 선호하는 소주와 맥주 브랜드 알아둘 것 등등 업무와 상관없는 의전 문화가 형성됐다. 그렇게 알아서들 떠받들어 주니까 정말 자기가 왕이라도 되는 줄 알았나 보다.

"내가 누군지 알아!"

여느 때처럼 회사 근처 고깃집에서 회식이 있던 날이었다. 가게 안에서 큰 소리가 들렸고 목소리의 주인공은 우리 테이블에 앉아있었다. 한우갈비 파는 데 데려와서 고작 오겹살을 주문한 게 자존심이 상해서였을까. 술이 잔뜩 오른 부장은 자신의 권위를 드높이기 위해 점원에게 대뜸 라면을 끓여오라고 주문했다. 메뉴판엔 라면이 없었다. 당연히 될 리도 없었다. 억지를 쓰던 그는 약이 올랐는지 고래고래 소리를 질렀다. 부끄러움은 주위 사람들의 몫이었다. 대부분 취해있던 거 같지만.

그새 편의점에서 라면을 사 와 주방만 쓰게 해달라고 조르는 직원이 있었다. 물론 그도 취해있었다. 역시나 될 리 없었고 결국 컵라면에 물을 부어주는 걸로 타협했다. 부장의 체면을 살리기 위해 최선을 다하는 모습이

짠했다. 그 상황에서도 직원들은 상사의 기분을 최우선으로 생각했다. 그것을 예절로 배웠으니까. 그리고 같은 법도를 후배들에게도 똑같이 강요했다.

호랑이 없는 골에 토끼가 왕 노릇 한다는 속담이 있다. 아부와 아첨이 생활이 된 이들은 부장이 없는 자리에서 애먼 후배들에게 권위를 내세웠다. 모처럼 일찍 퇴근하던 어느 날 지하철을 타고 집에 가는 길에도 그랬다. 수화기 너머로 다급한 목소리가 들렸다.

"지금 위치 찍어줄 테니까 빨리 튀어와."

통화버튼을 누른 걸 후회했다. 뭐 안 받았으면 씹었다고 난리를 쳤겠지만. 지하철을 거꾸로 타고 돌아가는 모든 걸음이 굴욕적이었다. 분명히 말하지만 무서워서는 아니었다. 앞으로 쭉 피곤해지는 게 싫었을 뿐이다.

도착한 곳에 다른 부서 동기들이 보였다. 부서별 부하 직원들의 충성도로 내기를 했다나 뭐라나. 아무튼 나는 가장 늦었다는 이유로 글라스에 한가득 소주를 받았다. 참아야지 어떡하겠어. 생각해 보면 인내를 요구하는 상황은 대부분 술자리였다. 아마도 사람을 상대하는 게 아니라 그랬던 거 같다.

서로 다독이던 동기들도 시간이 지나 직급이 오르고 선배가 됐다. 모여서 신세 한탄을 하던 술자리는 언제부턴가 이렇게 바뀌었다.

"요즘 애들 진짜 개념 없지 않아?"

* * *

상명하복. 이 말을 군대에서 처음 배웠다. 위에서 명령하면 아래서 복종한다. 상식보다 권위가 우선되는 사회는 대부분 이 말을 좋아했다. 까라면 까.

사령관이 부대에 방문하는 날은 모든 자원을 동원해 막사를 구석구석 청소했다. 유리에 지문이 남아선 안 되고 검은 페인트가 모자란 곳은 검정 구두약을 가져와 덧칠했다. 전쟁이 나도 이런 깨끗함을 유지할 수 있을지 싶다가도 그들 중 누구도 전쟁을 경험하지 않았다는 사실을 깨달았다. 뭐가 더 중요한지 모를 법도 했다.

어느 곳에든 왕이 있었다. 그리고 왕을 극진히 모시는 신하들도 있었다. 그들은 출세를 위해 아랫사람들을 부리면서도 미안함이 없었다. 억울하면 너희도 나중에 하면 되잖아. 부조리는 이렇게 대물림 됐다. 애초에 인간이 평등하단 사실은 그들의 머릿속에 없었다.

모든 국민은 법 앞에 평등하다.* 이론상 평등한 사회에 살고 있지만 세상은 평등해 보이지 않았다. 심지어 법 앞에서도 그렇다. 법은 얼마나 유능한 변호사를 만났느냐에 따라 그 해석이 달라지므로 능력이 되는 사람은 일단 변호인단부터 꾸렸다. 유전무죄 무전유죄. 88년 서울올림픽으로 전 국민이 고취될 무렵 등장한 이 말은 아직도 사라지지 않았다.

돈에 의해, 권력에 의해 인간관계엔 늘 피라미드가 존재한다. 노예제도는 사라졌어도 여전히 인간의 가치는

---

* 헌법 11조 1항 : 모든 국민은 법 앞에 평등하다. 누구든지 성별 · 종교 또는 사회적 신분에 의하여 정치적 · 경제적 · 사회적 · 문화적 생활의 모든 영역에 있어서 차별을 받지 아니한다.

돈으로 환산된다. 위에 있는 이들은 사람을 부리고 아래선 눈치를 살핀다. 왕이 존재하던 시절과 다를 게 없다. 그럴 거면 평등이란 말을 쓰지나 말던가.

근위병 교대식이 끝나고 사람들이 흩어졌다.

# 풍요 / 빈곤

# 풍요 / 빈곤

사치와 기아가 공존하는 세상에

노력으로 못 이룰 게 없다고 말한다

파리 한 마리가 천장에 붙어있다. 아니 파리의 눈엔 내가 천장에 붙어있는 건지도 모르겠다. 아무튼 우린 끝과 끝에서 서로를 마주보다 무심히 자릴 떠났다.

B를 만나기로 했다. 약속 시간은 오전 열 시지만 멀뚱히 시간을 보내고 싶지 않아 호텔을 나왔다. 근처 노천카페에 앉아 로비에서 가져온 무가지*를 펼쳤다. 의자에 등을 기대고 다리를 꼬고 담배는 피우지 못하니깐 빼고. 어디선가 본 파리지앵을 흉내 내고 있는데 웨이터가 주문한 커피를 두고 갔다. 그는 내가 불어를 알아듣지 못하는 걸 안다. 읽지 못하는 잡지를 들고 있는 것도.

파리의 출근길을 구경했다. 무관심한 얼굴과 바쁜 걸음은 어디서나 똑같았다. 에펠탑이 일상인 이들에게도

* 무료로 배포되는 신문이나 잡지

도시의 감흥이 남아있을까. 뜨거운 커피 위로 새하얀 김이 아주 느리게 피어올랐다. 여행자의 시간만 홀로 다르게 흘렀다.

맞은편 담벼락에 쭈그려 앉아있는 노숙인이 보였다. 지저분한 침낭에서 밤을 보낸 듯했다. 퀭한 얼굴은 거리를 향해 있었지만 두 눈엔 아무것도 담겨있지 않았다. 지나가는 이들 역시 그에게 시선을 두지 않았다. 나도 곧바로 고개를 돌렸다. 그에겐 빵이 될 수도 있었던 커피 한 잔을 어느새 다 비웠다.

커피값을 낼 수 있다는 이유로 나는 의자에 앉아있다. 가진 돈을 다 쓰고 나면 나도 길 위에 있겠지. 그땐 저 노숙인이 거리 생활을 청산하고 이 자리에 앉을지도 모를 일이다. 돈에 의해 사람의 위치가 달라진다니 이곳에선 나보다 지갑이 더 중요할 수 있겠다고 생각했다.

B가 도착했다. 어떤 인물인지는 중요하지 않으니 묘사를 아낀다. 조금 전 노숙인과는 정반대에 있는 사람인데 단순히 경제적인 관점에서 그렇다. 만난 지 하루밖에 되지 않은 이를 포장하기도 이상하고 그저 나에게 호의적인 인물이라 소개하겠다. 그리고 화려한 파리와 누구보다 잘 어울리는 사람이었다.

점심을 먹으러 가기 전 오페라 가르니에에 들르기로 했다. 샤갈의 천장화는 꼭 봐야 한다고. B는 예술에도 조예가 깊었다. 전날 우리가 처음 만난 오르세 미술관에서는 가이드를 옆에 두고 뛰어난 견식을 뽐낼 정도였다.

거리를 나서는데 집시들이 종이와 펜을 들고 서명해 달라며 주위를 둘러쌌다. B는 황급히 내 옷깃을 잡아당겨 핸드폰과 지갑을 조심하라고 주의를 줬다. 알고 보니 소매치기 집단이었다. 목적을 들킨 집시들은 부리나케

달아났다. 놀람과 당혹스러움으로 몸이 얼어붙었다. 어린 소녀들이었다.

"짜증 나 진짜. 왜 저러고 다니는 거야."

B는 질색하며 그들의 손이 닿았던 곳을 털었다. 나도 덩달아 표정을 구겼는데 소지품은 무사했으므로 무엇이 눈살을 찌푸리게 했는지는 알 수 없었다.

거리의 부랑자가 하루를 연명하는 방식은 두 가지다. 남의 도움을 받거나 남에게 해를 끼치거나. 당장 내일 굶어 죽을 마당에 그들에게 도덕적 가치를 논하는 게 의미가 있나 싶다. 삶이 극한으로 내몰린다면 나는 마지막까지 인류애를 유지할 수 있을까. 오페라 가르니에의 내부는 바깥 사정 따윈 안중에도 없이 화려했다.

B가 예약한 식당 역시 그런 화려함의 연장선에 있었다. 미슐랭 가이드를 말로만 들었지 찾아서 가본 건 처음이었다. 그래 파리에 왔으니깐 한 번쯤은. 가볍게 생각하고 응했는데 입구부터 부담스러움이 밀려왔다. 3코스에 65유로. 한국에 있는 패밀리 레스토랑에 비하면 가격이 괜찮은 편이라고 했지만 한국에서도 패밀리 레스토랑에서 점심을 먹지 않는 나로선 버거운 메뉴판이었다. 참고로 어제 점심으로 먹은 바게트는 1유로였다.

정성껏 장식된 음식을 포크로 망가트렸다. 눈이 호강할수록 마음은 불편했다. B는 외국으로 여행할 정도면 여유가 있다고 생각했나 보다. 그래 비행깃값이 얼만데 이 정도는 경험 삼아 해볼 만하지. 대화하는 내내 불리는 내 이름이 낯설게 느껴졌다. 책이나 영화에 나올법한 대화를 나눴지만 내가 하고 싶은 말인지 남이 듣고 싶은 말인지 알지 못했다.

쇼핑하고 싶다는 B를 따라 다시 거리로 나왔다. 명품 매장 몇 군데를 구경삼아 들어갔다. 검은 정장을 차려입은 점원이 하얀 장갑을 끼고 상품을 설명하는 동안 옆에서 같이 고개를 끄덕였다. 괜찮은 거 같아. 저것보단 이게 낫네. 옆에서 추임새만 넣을 뿐인데 그들은 나에게도 친절을 베풀었다. 하지만 그런 노력에도 쇼핑은 금세 지루해졌다. 저녁에 다시 만나 에펠탑에서 야경을 보기로 약속하고 홀로 거리를 나섰다.

그 뒤론 센강을 따라 한참을 걸었다. 거리의 연주자, 가판 위의 헌 책들, 돌벽에 낀 이끼, 부표처럼 떠 있는 백조와 갈매기 떼. 유람선 위에선 볼 수 없었던 풍경을 눈에 담았다. 이상하게 그 모습에 숨통이 트였다. 뒤늦게 걸음을 멈추고 지도를 보니 약속 장소에서 꽤 멀어져 있었다. 불편한 마음이 들었다. 약속 때문은 아니었다.

해가 저문 파리엔 화려한 불빛만 남았다. 에펠탑은 매시간 불꽃놀이를 하듯 반짝였다. 빛의 도시 파리. 빛나지 않는 이들은 모두 어둠 속에 잠겼다.

호텔로 돌아가는 길에 담요를 덮고 쭈그려 앉아있는 부랑자와 그 품에서 도로를 바라보는 어린아이를 보았다. 차가운 길바닥이 전부인 작은 소녀 앞에 기다란 리무진이 신호를 받아 멈췄다. 열려있는 창문으로 비슷한 또래의 한 소녀가 고개를 빼꼼 내밀었다.

잠시 같은 공간에 머물렀던 둘 사이엔 너무도 많은 시간이 쌓여있었다. 그들은 끝과 끝에서 서로를 마주보다 무심히 자릴 떠났다.

# 반말 / 존댓말

## 반말 / 존댓말

같은 언어를 쓰고 있다는 착각이
모든 오해의 시작이다

낯선 언어에 파묻혀 온종일 시간을 보내면 유독 모국어가 반가울 때가 있다. 조금 먼 거리였지만 세 남자의 대화 소리에 나도 모르게 귀를 기울였다. 둘은 일행이고 나머지 한 사람은 처음 만난 것처럼 보였다.

방금 막 프랑크푸르트에 도착했다는 두 남자는 전역 장교였다. 전역한 지 얼마 되지 않았는지 깍듯한 군대식 말투를 쓰고 있었다. 반면 맞은 편에 서 있는 빨간 옷의 남자는 팔짱을 끼고 거만한 자세로 말을 이어갔다. 평소에도 거드름이 몸에 밴 듯했다.

"후배였네, 그럼 말 편하게 할게."

한국에선 자주 쓰는 말이지만 외국에서 들으니 어딘가 어색했다. 말이 불편하다는 사실보다 본인만 편하겠다는 말을 당당하게 하는 모습이 놀라웠다. 나이가 많다는 이유로 또는 먼저 사회에 나왔다는 이유로 존중은 당연한 권리가 되어있었다.

우리말은 관계에 따라 서로 다른 어휘를 선택한다. 존댓말 속엔 일종의 부채감이 있는데 하급자가 상급자에게 갖춰야 할 예절이 바로 그것이다. 동방예의지국의 미덕. 아름다운 유교문화지만 인의예지 중 '예'만 남은 게 문제다. 목소리가 커지면 너 몇 살이냐가 먼저 튀어나오는 곳에서 제대로 된 대화가 될 리 없다. 관계를 기울여놓고 소통을 바라다니 우습다.

선후배 관계가 유달리 엄격한 한국에선 후배의 도리는 강요되지만 선배의 역할은 쉽게 찾아보기 어렵다. 졸업식 날 부르는 노래에는 앞에서 끌어주고 뒤에서 민다는 데 지금까진 온통 미는 사람밖에 보이지 않았다. 혹시 선배의 역할이라며 충고나 조언을 말하려거든 정말

듣는 사람을 위해 하는 말인지 생각해 보자. 모든 마음이 상호작용을 하는데 왜 존중은 일방적으로 요구되는지도 말이다.

선배의 존재를 처음 의식한 건 대학이었다. 신입생이 모인 강당에서 학생회 간부들은 흔히 말하는 기강을 잡았다. 강의실에서 졸지 말고 교수님에게 인사 잘하라는 뻔한 이야기를 늘어놓다가 마지막엔 학생회비를 입금하라며 계좌번호를 알려줬다. 당시 파트타임 시급 기준으로 50시간을 일해야 낼 수 있는 돈이었다. 머지않아 돈을 내지 않은 학생들의 이름이 게시판에 붙었다. 반면 학생회비가 어떻게 쓰였는지는 졸업할 때까지 한 번도 붙지 않았다.

군대에 다녀온 복학생은 갓 성인이 된 후배들을 애 취급했는데 정작 교수에게 다나까 말투를 쓰며 사회생활을 흉내 내는 모습이 얼마나 유치한지는 모르고 있었다. 취업이 바쁘다는 핑계로 누구도 신경 쓰지 않았지만 후배들은 졸업식에 금반지를 선물했다. 관행이라고 했다.

"어차피 너네도 받는 거니깐 잔말 말고 내."

이런 문화는 군대에서 더 도드라졌다. 일이등병은 청소를 도맡아 하고 선임들의 전투화를 닦고 침구류를 정리해 주고 속옷까지 대신 빨았다. 상병장이 되면 자신들도 누릴 편의라고 생각하며 부조리를 견뎠다. 억울하면 먼저 오던가. 군대 안에서나 선후임이었지만 스물네 시간을 붙어 사는 만큼 위계질서가 뚜렷했다.

그런 군대에서 압존법도 처음 배웠다. 말하려는 대상이 듣는 사람보다 계급이 낮으면 '-님'을 붙이지 말라나 뭐라나. 참고로 국립국어원은 압존법에 대해 전통적으로 가족이나 사제 관계에서 썼던 것으로 사회적 관계에서는 쓰지 않는다고 설명했다.* 그 뒤 신입사원 교육에서 한 번 더 압존법을 배웠다.

직장 생활은 자연스럽게 군대 문화의 연장선에 있었다. 군대는 다시 가기 싫어하면서 가장 효율적인 시스템이라고 인정한 셈이다. 달리 말하면 군대문화에 익숙해져 변화를 어려워했다. 그저 잘나가는 실리콘밸리 기업을 따라 청바지를 입으면 조직문화가 유연해진다고 생각한 게 전부였다. 권위는 절대 내려놓지 못하면서.

삶은 갈수록 여유가 없었다. 아마 그래서일 것이다. 모두 가정이 있었고 자기 밥그릇 지키기에 바빴다. 필요하다면 아랫사람 몫을 빼앗아도 괜찮았다. 너네도 다음

---

* 참고로 국방부는 2016년 3월 부로 압존법을 금지했다.

세대에게 받으면 된다고. 뻔뻔함은 사회적으로 관성이 되었다.

밥솥에 밥이 가득 차 있던 시절엔 괜찮았다. 욕심껏 퍼먹어도 밥이 줄지 않는 거 같았으니깐. 누룽지를 긁어 먹을 때쯤 되어서야 얼마나 이기적이었는지 깨닫는다. 누구도 새 밥을 짓지 않았고 자기 차례가 되어 더 이상 가져갈 게 없자 닷새짜리 여름휴가마저 회사와 협상해 돈으로 바꿨다. 그 덕에 이듬해부터 입사한 후배들은 여름휴가 대신 연차를 썼다. 그들 역시 창립기념일을 출근일로 바꾸고 보상금을 받았는데 마찬가지 다음 해에 들어올 이들의 몫은 없었다.

그런 식이었다. 매년 늘어나는 국가 부채, 대책이 마련되지 않은 연금, 바다에 떠다니는 쓰레기 섬과 최근의 오염수까지 모두 같은 이야기다. 어떻게든 나까지만 먹으면 된다고 안간힘을 쓰는 어른들. 다음 세대를 위한 안배를 하지 않고 너희도 받으면 된다며 무책임하게 부담을 전가하는 일이 여기저기서 일어나고 있다.

여하튼 우린 동방예의지국에 살고 있단 이유로 존댓말을 쓴다. 그러나 존대를 받을 만큼 존경스러운 삶을 살고 있는지는 스스로 생각해 볼 일이다.

# 무거움 / 가벼움

## 무거움 / 가벼움

마지막이 다가올수록

일분일초가 선명해진다

나만 다시 돌아갈 뿐인데

모든 게 슬픔으로 바뀌어버렸다

이상한 밤이다. 프라하에 대한 글을 쓰던 중 밀란 쿤데라가 별이 되었다는 소식이 전해졌다. 부고를 듣고서야 그와 한 시대를 살았다는 사실을 실감했다. 셰익스피어와 같은 세대를 살던 사람들이 이런 기분이었을까. 작가보다 익숙한 작품에 마치 사라지지 않는 존재에 애도를 표하는 듯했다. 책은 기껏해야 책등만 바랠 뿐이니.

그 시절 나의 여행 가방에는 밀란 쿤데라의『참을 수 없는 존재의 가벼움』이 들어있었다. 한동안 과거에 잠겨있던 나를 가정법의 세계에서 꺼내준 고마운 책이다. 그때 그랬다면으로 둘러싸인 세계. 쿤데라는 후회와 미련으로 가득했던 하루에 무의미를 선물했다.

나는 종종 여행을 다녔고 그때마다 인생의 축소판을 경험했다. 만남과 헤어짐. 즐거움 뒤에 찾아오는 아쉬움. 특히 마지막이 다가올수록 시간은 점점 빠르게 흘렀다. 일분일초 또렷해질 때마다 붙잡지 못하는 무력감에 울적한 기분마저 들었다. 돌아오는 비행기 안에선 항상 죽음에 대해 생각했다. 구름 속엔 아무것도 없지만 보이지 않는단 이유로 무엇이든 상상할 수 있었다.

죽음은 대부분 공허하지만 어떤 죽음은 오랜 시간 깊은 인상을 남겼다. 프라하의 바츨라프 광장을 지날 때였다. 나의 시선은 길바닥에 놓인 붉은 꽃에 닿아있었는데 그곳엔 오래된 청동 십자가가 하늘을 바라보고 박혀있었다. 아니, 땅을 끌어안는 모습인지도 모르겠다.

꽃이 놓여있지 않았다면 생각 없이 지나갔을 것이다. 보도블록 사이로 투박하게 튀어나온 십자가는 바리케이드도 명판도 없이 길 위에 누워있었다. 그리고 그 자리가 한 청년이 자기 몸에 불을 지른 곳이란 말을 들었을 때 나는 몸이 굳어버렸다.

당시 얀 팔라흐는 스무 살이었다. 프라하의 봄이 소련군에 의해 진압되고 그 정신마저 어쩔 수 없단 말로 꺼져가자 그는 불씨가 되어 시민들을 다시 깨우려 했다. 세상은 그런 죽음을 희생이란 말로 요약했다.

생을 마감하는 수많은 원인 중에 가장 이해하기 어려운 이유였다. 그런 희생에도 세상이 변하지 않으면 얼마나 허망한가. 혹여 세상이 변해도 그곳에 내가 없다면 무슨 소용인가. 돌이켜보면 내가 사는 세상도 누군가의 희생을 바탕으로 이루어졌을 텐데 변화를 누리면서 뻔뻔하게 어쩔 수 없단 말을 한다.

* * *

『참을 수 없는 존재의 가벼움』의 첫 문장은 니체의 영원회귀로 시작한다. 생의 무한한 반복. 매력적인 제목에 비해 다소 무겁게 느껴졌던 이 주제는 후회 가득한 나의 과거에 다음과 같은 위로를 건넸다. 한 번은 아무것도 아니다. 그러나 한 번이기에 오히려 아름답다. 결과적으로 아름다움을 느끼는 이유는 그것이 사라지기 때문이다.

시간을 돌려 원하는 결과를 만들어 낼 수 있다면 만족스러운 삶을 살 수 있을까. 예를 들어 운동선수가 원하는 기록이 나올 때까지 경기를 되돌린다면 금메달을 목에 걸고 환호할 수 있을까. 결과만 놓고 보면 만족스러울지 모르겠지만 언제든 목에 걸 수 있는 메달을 위해

신에게 기도하고 청심환을 먹고 징크스 탓을 하진 않을 거 같다.

행운이란 단어는 기회가 더 이상 주어지지 않을 때 힘을 갖는다. 노력도 마찬가지로 시간을 되돌릴 수 없기에 가치 있는 것이다. 죽음을 인지하면서 삶에 목매는 까닭 또한 우리가 세상에 한 번만 존재하기 때문이다. 행성의 입장에서 인간은 개미와 다를 바 없지만 개개인이 삶을 무겁게 여기는 건 당연하다. 현재라고 부를 수 있는 시간은 한 번뿐이고 과거가 돼버리면 돌아오지 않는다.

끝이 있어 미련이 생긴다. 반복되지 않아 소중함을 느낀다. 저물녘 노을빛과 한낮의 윤슬처럼 스치는 풍경에 넋을 놓는다. 생은 그 자체로 무의미하지만 찰나의 반짝임은 존재의 가벼움을 상쇄한다.

1969년 바츨라프 광장에서 스스로 몸에 불을 붙인 그에게도 삶은 한 번뿐이었다. 그 사실을 알기에 역설적으로 누구도 그를 어리석다고 말하지 못했다. 소중한 삶을 태울 정도로 열망하는 것은 무엇인가. 비록 그의 세계는 허무하게 사라졌으나 그가 떠난 자리에 무거운 흔적은 사람들의 가슴 속에 불씨를 남겼다.

꽃이 시든 자리에 다음 날 새로운 꽃이 놓였다.

# 전쟁 / 평화

# 전쟁 / 평화

우리가 물려줘야 할 건

화려한 도시의 야경이 아니라

별을 셀 수 있는 밤하늘이 아닐까

키보드를 두드리는 시간에도 어디선가 총성이 울리고 있다는 사실이 믿기지 않는다. 전쟁은 과거의 역사가 아니라 현재 진행형이다. 아직 총구가 우릴 향하지 않았을 뿐이다.

오랫동안 녹지 않은 빙하를 단단한 땅으로 여긴다. 냉전이 길어지며 전쟁의 공포는 일상에서 지워졌다. 그사이 목적지가 정해지지 않은 무기는 수많은 생명을 한꺼번에 태울 만큼 진화했다. 언제 깨질지 모를 얼음 위에 위태롭게 서 있지만 누구도 두려움을 갖지 않았다.

삶이 부서진다. 슬픔을 느낄 새 없이 다음 숨이 꺼진다. 누군가의 소중한 벗, 형제, 자녀였던 이가 사라진다. 전쟁은 그런 것이다. 한 사람의 서사가 숫자 1로 대체되는 것.

하나의 생명이 소멸하는 데는 검지를 구부리는 힘밖에 들지 않는다. 방아쇠를 당기고 버튼을 누른다. 손가락이 움직일 때마다 비극이 추가된다. 그 원인이 같은 사람의 손이라 더 서글프다.

폭탄이 수십 명의 목숨을 끌어안고 산화한다. 매일 갱신되는 사망 소식은 죽음을 무디게 만든다. 아직도 먼 나라 이야기다. 다시 뉴스에선 연예인의 가십과 프로야구 스코어 그리고 그날의 주식시장 소식을 먼저 듣는다.

영화와 게임은 전쟁을 유희로 만든다. 한 인간이 시련을 극복하며 영웅이 되는 동안 전장을 가득 메운 병사들은 대사 한 줄 남기지 못하고 희생된다. 허무하지 않은가. 그들은 피해자지만 누군가에겐 가해자인 채로 죽는다.

법은 살인을 금하지만 전쟁은 살인을 요구한다. 살인을 금지하는 이유가 생명은 소중하기 때문이라면 살인을 허용하는 이유는 다른 군복을 입었기 때문이다. 부끄럽게도 전쟁은 그런 모순 한가운데 젊은이들을 던져 넣는다.

명분 없는 전쟁에 누군가는 막대한 이익을 본다. 반면 가장 곤경에 처하는 건 언제나 약자다. 그중에서도 어린이. 세상을 배워가는 아이들의 눈에 불에 탄 도시와 광분한 어른들이 보인다.

제2차 세계대전 직전, 유대인 아이들이 프라하 중앙역에서 기차를 탔다. 나치의 학살을 피해 아이라도 보내기 위한 런던행 기차였다. 작은 손바닥과 큰 손등. 그들의 마지막 인사가 차가운 유리에 가로막혔다. 남겨진 부모들은 홀로코스트의 희생자가 됐다. 이게 전쟁의 얼굴이다.

# 빨강 / 파랑

## 빨강 / 파랑

우리 눈에 보이는 빛은

스펙트럼의 아주 작은 일부이며

빨강과 파랑은 그 파장의 길이가

고작 300nm밖에 차이 나지 않는다

* nm : 나노미터($10^{-9}$m)

촛불을 켰다. 찬 바람에 불꽃이 일렁일 때마다 그을음이 번지는 종이컵엔 이내 따뜻한 온기가 돌았다. 불꽃은 사람을 통해 전해지고 금빛 물결이 빠르게 퍼졌다. 시민들은 노여워하고 슬퍼했지만 한편으론 차분했다.

어느 날 광장이 둘로 나뉘었다. 한쪽은 빨강, 한쪽은 파랑. 재밌는 건 그들의 옷 색깔이 과거에 한 번 바뀌었단 점이다. 빨갱이라 욕하던 이들이 빨간 넥타이를 매고 원래 빨강이었던 이들은 돌고 돌아 파랑이 됐다. 지지율이 부진하면 이미지 쇄신을 위해 이름을 바꾸곤 했는데 색까지 변한 걸 보니 어지간히 이미지가 안 좋았던 모양이다.

나는 빨강도 파랑도 좋아하지 않는다. 그들은 기회주의자에다 거짓말쟁이다. 서로를 배척하는 거 같지만 사실 둘은 서로에게 없어서 안 될 존재다. 사회가 분열될

수록 좋은 핑곗거리가 생기기 때문이다. 그래서 필요하다면 지역감정과 세대 갈등을 부추기는 것도 서슴지 않는다. 선거는 스포츠 경기처럼 중계되고 땅따먹기하듯 지도에 색을 칠한다.

반면 선거철이 되면 거리에는 희망이 싹튼다. 세상이 변할 거 같은 희망. 유권자는 민주주의 국가에 살고 있다는 우월감에 취하고 유세 기간 내내 고개를 조아리던 자칭 일꾼들은 국가를 위해 헌신할 것처럼 단단한 각오를 내비친다. 그리고 그런 희망은 선거가 끝남과 동시에 거품처럼 사라진다. 합격하고 나서 잊어버리는 수험서의 내용처럼.

선거의 규칙 또한 자주 바뀐다. 명분은 민주주의지만 결과적으론 또 밥그릇만 늘었다. 정책보단 전략이 중요해진 게임에서 빨강과 파랑은 최적의 대진표를 만드는

데 온 힘을 다한다. 위성정당이 생겼다. 결국 선택지는 다시 둘뿐이다. 최악을 막기 위한 차악이라니. 민주주의라고 부르기도 민망할 정도다.

광장엔 대화와 토론이 사라졌다. 그 빈 자리를 의혹과 비방이 채웠다. 나의 도덕성을 높이기보다 상대를 깎아내리기가 더 쉽다는 걸 알았는지 부정적인 문구를 거리에 내걸고 자극적인 이야기를 쏟아냈다. 유언비어는 진실을 가리는 속도가 따라가지 못할 만큼 빠르게 퍼졌다. 무책임한 정보 속에 저마다 자기가 믿고 싶은 것만 믿었다. 진실인지 아닌지는 더 이상 중요하지 않았다.

이제 광장에는 갈등과 혐오만 남았다. 감정의 골이 깊어져도 빨강과 파랑은 권력을 잡기 위해 서로의 발목만 잡았다. 덕분에 그들은 급변하는 세상에 한 발짝도 나아가지 못했다.

* * *

많은 사람이 민주주의와 공산주의를 반대 개념으로 여긴다. 분단국가에서 태어나 어린 시절부터 배워온 반공 교육의 영향이다. 그러나 굳이 따지면 공산주의와 대립하는 건 자본주의, 그리고 민주주의의 반대는 독재다. 자유민주주의를 수호한다는 사람들이 광장에 나와 독재자를 찬양하는 모습은 그런 사상이 얼마나 무의미한지를 보여준다.

자본주의와 공산주의는 수십 년째 대치 중인데 그에 비해 닮은 구석이 많다. 또한 그 모습은 먼 옛날 왕이 지배하던 시절과 별반 다르지 않다. 한 사람이 권력을 쥐고 다른 사람들은 도구가 되는 구조. 오너의 위치는 세습되고 나머지는 꾸역꾸역 올라가며 경쟁하는 구조. 피라미드를 만들 때부터 이어져 온 인간사회의 모습이다. 다만 현대 사회에선 돈이 권력을 대신하기도 한다.

공산주의는 자본주의보다 먼저 무너졌다. 그렇다고 자본주의가 우수한 체제라는 얘기는 아니다. 돈으로 뭐든 해결할 수 있을 거 같은 사회도 서서히 문제점을 드러냈다. 가장 심각한 건 빈과 부의 격차다. 대다수 사람이 빈곤에 관심 두지 않는데 사회가 서서히 가난해지고 있다는 사실조차 인지하지 못했다. 회장님들의 자산이 늘어나는 동안 근로자는 맞벌이가 자연스러워졌는데도 말이다.

빨강과 파랑이 이런 공허한 이념을 두르고 서로 날 선 비방을 이어가는 중에도 사회는 종종 아프다는 신호를 보냈다. 연애, 결혼, 출산을 포기한 삼포세대라는 말이 등장한 것도 그중 하나였다. 단물이 다 빠진 자본주의는 청년들을 위한 뚜렷한 대책을 내놓지 못했고 그사이 취업과 주거까지 포기한 오포세대, 그 외에도 건강과 인간관계 등을 포기한 N포세대까지 등장했다. 이 포기라는 단어는 사회의 문제를 개개인의 탓으로 돌렸다. 마치 노력도 해보지 않았다는 듯이.

지지율이 가장 큰 관심사인 이들은 품이 많이 드는 숙제를 다음 세대로 미뤘다. 원인을 살피지도 해결할 의지도 없이 지루한 대립을 이어가길 계속, 이념은 목적을 상실했고 현실과 괴리만 커졌다. 무엇을 위해 촛불을 들었나. 광장에서 민주주의를 외쳤던 우리는 빨강 또는 파랑 혹은 방관자가 되어있었다.

나를 정의하지 못한 사람들을 위해

나의 작은 팔레트 2부 끝.

나의 작은 팔레트 2



초판 발행 2023년 10월 23일

지 은 이 이정현
디 자 인 이정현
사 진 이수현
펴 낸 곳 바다새
출판등록 제2022-000023호
전자우편 seabird.author@gmail.com
S N S Instagram @seabird.books
I S B N 979-11-978592-2-9